KB096329

못난 전래동화 1

못난 전래동화 1

발 행 | 2024년 01월 24일
저 자 | 이바다
펴낸이 | 한건희
펴낸곳 | 주식회사 부크크
출판사등록 | 2014.07.15(제2014-16호)
주 소 | 서울특별시 금천구 가산디지털1로 119 SK트윈타워 A동 305호
전 화 | 1670-8316
이메일 | info@bookk.co.kr

ISBN | 979-11-410-6839-4

못 난 전 래 동 화

1

이바다 지음

목록이나 제목, 조항 따위의 차례

이 동화에는 못난 어른들이 다소 등장합니다.

이 책을 읽는 모든 분께서 빠른 시일 내에 대성하시기를 진심으로
바라며 감사의 인사를 드립니다.

2024년 1월, 이바다 올림.

제1화 흥부와 놀부

옛날 옛적에 흥부라는 백수와 놀부가 살았다. 어느 날 흥부와 놀부의 아버지가 몹쓸 전염병에 걸렸다. 죽음이 멀지 않음을 느낀 아버지는 흥부와 놀부를 불렀다.

"나는 이제 곧 죽는다. 제사상에는 제발 맛대가리 없는 토란국 ⋯ 차리지 말고. 치즈스노잉치킨 매운맛과 위스키를 올리거라."

"예."

"그리고.."

한 마디 한 마디 힘겹게 토해내는 아버지의 입술이 파르르 떨렸다.

"내 전 재산, 상평코인 일만 냥은 말이다. 맏형인 놀부가 다 가지거라.."

"예? 아버지, 잠시만요, 아니.."

아버지의 말에 화가 난 흥부가 화가 나서 벌떡 일어났다.

"왜, 저에게는 한 푼도 물려주지 않습니까, 예?"

흥부는 죽어 가는 제 아비를 원망스러운 눈빛으로 쳐다보며 따졌다.

"흥부야, 너는.. 굳이 나의 유산을 물려받지 않더라도… 대성 할 것이다…"

이 말을 끝으로 아버지는 한 줌의 숨을 헐떡이다가 눈을 감았다.

"아버지!"

두 형제는 아버지의 시신을 끌어안고 통곡하였다.

"점심 뭐 먹을래?"

쓸쓸히 홀로 남겨진 아버지를 뒤로한 채 방을 나온 흥부가 놀부
에게 물었다.

"대방어회에 쭈꾸미볶음 먹자."

"그래."

흥부는 스마터폰을 꺼내 들고는 배달앱으로 점심을 주문하였다.

놀부는 흥부를 집에서 내쫓았다. 왜냐하면 흥부가 대방어회가 가지런히 올려진 접시 위에 민트초코 아이스크림 국물을 부어 버렸기 - 놀부는 홧김에 욕설을 내뱉으며 흥부의 뺨을 때렸다. - 때문이었다. 서러움에 복받친 흥부는 붉어진 눈시울로 눈물을 뚝뚝 흘리며 달렸다. 아버지의 유산도 못 물려 받았는데, 민트초코를 좋아한다는 이유 만으로 이십오 년 동안 살아온 정든 집에서 쫓겨났다는 사실을 쉽사리 받아들이기 힘들었다.

놀부의 분노와 욕설과 함께 집에서 쫓겨나는 현실은 그에게 깊은 상처를 주었다. 대방어회 위에 뿌려진 민트초코 아이스크림 국물은 흥부에게는 단순한 음식이 아닌, 한 가족의 연결고리와 기억의 조각이었다. 그런데 이 소박한 행동이 엄청난 분노와 폭언으로 이어졌다.

아버지의 유산을 물려받지 못한 것만으로도 흥부는 큰 실망과 자아에 대한 상실감을 안고 있었다. 그런데 이번 일로 인해 민트초코에 대한 취향이라는 작은 부분에서 비롯된 갈등으로 인해 그의 삶이 더욱 힘겨워졌다. 이렇게 오랜 기간을 함께한 집에서 추방당하는 것은 마치 자신의 정체성과 삶의 방향이 갑자기 무너지는 듯한 충격이었다.

놀부의 홧김과 분노에 휘둘리며 집에서 쫓겨난 흥부는 한순간에 아무런 거처도 없는 노숙인 신세가 되어버리고 말았다. 놀부의 말과 행동은 흥부에게 그저 형제의 의리와 사랑을 바탕으로 한 일 상이 얼마나 소중하고 쉽게 무너질 수 있는지를 더욱 깊이 깨닫 게 했다. 아버지의 유산을 물려받지 못한 아픔도 크지만, 그보다 더 큰 상처는 오래도록 정든 대궐 같은 기와집에서의 추방이었다. 그 집은 흥부에게 이웃과 이야기, 그리고 자신을 발견하고 성장시 킬 수 있었던, 유년기와 사춘기를 함께한 소중한 장소였다.

흥부는 뜨거운 눈시울과 땀방울이 섞인 채 달렸다. 아무런 죄 없이, 단순한 취향의 차이로 인해 이곳을 떠나야 한다는 사실은 그에게 불합리한 결정으로 다가왔다. 뿐만 아니라 놀부의 화풀이 는 이웃과 이곳에서 쌓아온 모든 것들이 무너지는 한 편의 비극 이었다. 눈물을 구슬아이스크림처럼 방울방울 떨어뜨리며 달려가 면서 마주한 모든 풍경들이 그의 마음을 더욱 아프게 만들었다.

얼마나 달렸을까, 흥부의 가슴 속에는 총에 맞은 것처럼 줄줄 새어 나오는 통곡과 함께 무력함이 차오르기 시작했다. 그는 고요 한 밤하늘을 올려다보며 놀부의 분노에 대한 어떠한 이해도 얻지 못한 채 하염없이 눈물만을 흘렸다. 그의 서러움을 알기는 하는지 오밤중의 찬 공기가 흥부의 뺨을 간지럽게 때리며 말없이 지나갔 다.

흥부는 젊은 나이에도 이미 삶에 대한 어려움을 많이 마주하고 있었다. 만 25세인 그에게 배고픔이라는 현실이 어김없이 닥쳐왔다. 허나 수중에 가진 재산이라고는 마이너스 통장뿐이었다. 길가에서 지나가는 빵가게는 흥부에게 유일한 희망 같았다.

그는 어쩔 수 없이 그 빵가게로 발길을 돌렸다. 배고픔에 시달리던 흥부는 생존을 위한 행동에 나서기로 했다. 그는 큰 용기를 내어 삼각김밥을 훔치기로 결심했다. 그 순간, 흥부는 자신의 선택이 어떤 결과를 가져올지에 대한 상상조차 하지 못했다.

빵가게 안으로 들어간 그의 손은 빵집의 귀중한 자산을 건드렸다. 그러나 그의 불운은 여기서 시작되었다. 투명하고 고운 그 아담한 비닐을 뜯어볼 틈도 없이 흥부는 사장한테 붙잡혔다.

"네 이놈의 도둑놈 자식. 부모님이 누구시냐?"

"잘못했습니다, 배가 너무 고파서 그랬어요. 한 번만 살려주세요."

흥부는 자신의 잘못을 인정하며 사장에게 애원했다. 무릎을 꿇고, 두 손을 똥파리처럼 빌었다. 그의 목소리는 절망과 후회의 감정으로 가득 찼다.

"안 돼. 내가 이십칠 분 뒤에 먹으려고 마음 깊숙이 찜해 놓았던 참치마요삼각김밥을 들고 튀었잖아. 괘씸하니까 검찰에 고소하겠다."

사장은 분노에 찬 목소리로 말했다. 흥부는 더욱더 처절한 상황에 몰리게 되었다. 빵가게 사장이 고소장을 작성하면서, 흥부는 자신의 우여곡절을 되새겨 보았다. 이 불운한 상황에서 벗어나기 위해선 어떻게 해야 할지 갈피를 잡아야 했다. 검찰에 고소되면 그에게 또 다른 어려움이 찾아올 것이 분명했다. 흥부는 현실에서의 어려움에 마주치면서 더욱더 자존감을 잃어가고 있었다. 이렇게 삼각김밥 하나로 시작된 사건이 어떻게 흘러갈지, 그리고 흥부는 이 상황에서 어떻게 나아가야 할 지 당최 알 수 없었다. 마침내 사장은 어찌할 바를 모르는 상실감 속에서 좌절하고 있는 흥부를 적나라하게 고발하고 말았다.

법정은 침묵과 엄숙함으로 가득 차 있었다. 흥부는 어수선한 마음을 가지고 판사에게 눈길을 보냈다. 그의 표정은 간절함과 비통함, 그리고 후회로 뒤섞여 있었다. 삼각김밥 하나에 인생이 망가질 줄이야, 그리고 지금 이 순간이 흥부의 운명을 결정짓는 중대한 시점임을 그는 잘 알고 있었다.

"판사님, 한 번만 봐주십시오. 다시는 삼각김밥을 훔치지 않겠습니다, 예?"

흥부는 간곡한 부탁과 참회의 눈빛을 판사에게 보냈다.

판사, 그는 신중하고 권위 있는 풍채를 잔잔하게 드러냈다. 그의 키는 못해도 칠 척은 되어 보였으며, 단정한 외모와 달리 많이 피곤해 보였다. 미간에 깊게 새긴 주름은 그가 지난 수십 년간 법조계에서 보낸 경험과 지혜를 상징함이 분명하리라. 명료하게 빛나는 그의 눈에는 깊은 생각이 담겨 보였다. 그의 눈썹은 굵게 그려져 있고, 그의 두꺼운 입술에서는 언제나 공평한 심판을 하겠다는 다짐이 도드라져 보였다. 입가의 주름에서는 그의 순탄치 않았던 인생이 드러나면서, 어떠한 어려움에도 굴하지 않는 결연함이 보였다.

고요한 상황에서 조용하게 울리는 그의 목소리는 귀를 채우는 듯한 안정감을 전한다. 흥부와 같은 피고인에게는 때로는 엄격할 수 있지만, 그는 법과 정의에 대한 신뢰를 불러일으키는 존경받는 모습을 보여주는 사람이었다.

머리에는 희끗희끗한 머리카락이 흩날리고 있지만, 이것은 그의 권위를 자랑스럽게 표현해주었다. 결과적으로 그는 뛰어난 판단력과 존경받는 신뢰를 주는, 법정에서의 중요한 인물임이 틀림없었다.

판사는 흥부를 신중하게 살펴보더니, 깊게 숨을 들이마셨다. 법정 안에 감돌던 정적한 공기는 판사의 결정에 따라 그 무게가 확연히 달라질 것을 예감케 했다.

"피고는 참치마요삼각김밥을 훔친 천인공노할 중죄를 저질렀다. 허나, 스물다섯 살이나 먹고도 백수인 점을 감안하여 주걱싸대기형 한 대만을 선고한다."

뽕망치를 들고 판사가 말했다. 판사의 선고는 법정 안을 울리는 소리로 메워졌다. '뽕- 뽕- 뽕-' 소리는 고요한 공간을 가르며, 어둠을 환하게 밝히는 지혜로운 촛불처럼 웅장하게 울려 퍼졌다. 흥부의 얼굴에는 충격과 놀라움, 그리고 불안이 함께 녹아 있었다. 주걱싸대기형은 어떤 형벌인지 흥부는 전혀 알 수가 없었다. 그는 극심한 불안함과 두려움을 미처 감출 수 없었다.

판사의 판결은 흥부에게 더 큰 혼란을 안겼다. 그가 가난과 배고픔에 몰려 범행을 저질렀다는 것은 분명하지만, 이런 가벼운 죄목에 주걱싸대기형이라는 형벌은 상당히 엄한 것으로 들렸다. 흥부는 그간의 삶에서 어떻게 이렇게까지 나락에 빠질 수 있었을까 돌이켜보았다. 아마도 이러한 상황은 단순히 하나의 삼각김밥을 훔쳤다는 행동이 아니라, 복잡한 사회적 배경과 개인적인 어려움의 쌓임으로 인해 이뤄진 결과였을 것이다.

　법정 안의 엄숙함은 여전히 강렬하게 남아있었다. 흥부는 얼마 안 있어 들이닥칠 불안한 미래를 생각하며 눈물을 흘리고는, 속으로 한숨을 내쉬었다.

홍부는 밥주걱으로 얼굴에 가해진 고통에 눈앞이 캄캄해진 채 바닥에 엎드려 있었다. 그의 얼굴은 빨간 두통으로 부풀어 오르고 있었고, 그 와중에 묻은 밥풀 한 톨이 얼굴에 착 달라붙어 있었다.

"밥풀이 달다…."

홍부는 혀를 내밀며 밥풀을 살피고는 그것을 집어 들어 입 안에 넣었다. 찰기가 남은 달고 짠 맛이 적셔오며 입안에 전해져 왔다. 밥주걱으로 맞은 뺨에서 얼얼함이 느껴졌다. 풍선처럼 부풀어 있는 그의 뺨에는 밥풀의 흔적이 뚜렷이 그려져 있었다.

처음이자 마지막 밥풀을 음미하면서 걷던 홍부는, 길가에 쓰러져 있는 만취한 제비의 한쪽 날개를 실수로 밟아버렸다.

"옌장맞을!"

놀란 제비가 안 다친 다른 날개로 다친 날갯죽지를 움켜쥐고는 괴성을 질렀다. 만취한 제비는 홍부에게 화를 터뜨렸다. 다친 날개를 움켜쥔 채로, 그는 홍부에게 고래고래 소리를 질렀다.

"미안합니다. 어디 다친 곳은 없으십니까?"

홍부는 자신이 일으킨 일에 대해 딱히 죄책감을 느끼지는 않았지만 아무튼 사과의 말을 전했다.

"너 때문에 이렇게 됐잖아, 치료비를 주지 않으면 고소할 테다!"

얼굴이 울그락불그락 달아오른 제비는 다치지 않은 다른 날갯죽지로 흥부에게 삿대질을 하며 고함을 질렀다.

"그건 좀 곤란할 것 같은데요. 이건 뭡니까?"

흥부가 제비 옆에 떨어져 있는 작은 다이아몬드를 주웠다. 그 작고 아름다운 보석은 햇살에 비춰져 눈부시게 빛났다. 영롱한 표면은 투명하고 아름다웠다. 손에 쥐었을 때에는 아담하고 가벼웠다. 다이아몬드를 움켜쥔 순간 어떤 마법 같은 감동이 흥부에게 밀려왔다. 흥부는 그 작고 귀중한 분홍빛 별을 여러 각도에서 살피며, 그 속에서 반사된 무한한 빛과 광채에 마음이 빠져들었다. 작지만 강력한 아름다움이 그 손에 흘러 넘치고 있었다. 마치 작은 세계를 담고 있는 것처럼 보였다. 작은 결정들이 서로 어우러져 균형을 이루며, 태어나고 성장한 자연의 기운이 그 안에서 흐르고 있었다. 그 작은 다이아몬드는 흥부에게 무한한 상상과 꿈을 심어주었다. 어떤 힘이 그 속에 담겨 있는지는 알 수 없었지만, 그 광채는 마치 미래의 세계를 엿볼 수 있는 통로처럼 흥부를 매료시켰다. 흥부는 그 빛이 마치 인생의 여정과도 같다고 느꼈다. 그 속에서 자신의 모습을 발견하고, 미래의 모험을 상상하며 가슴이

두근거렸다. 그 안에 담긴 신비로운 에너지와 빛이 자신을 더 나은 방향으로 이끌어 줄 것 같은 느낌이었다. 삶의 여정에 새로운 전망과 열정을 안겨줄 수 있음이 틀림없었다. 그 깊이 있는 빛과 반짝이는 불꽃놀이는 흥부로 하여금 더 넓은 시야와 풍요로운 미래를 상상케 했다. 이것은 불행해왔던 그의 삶에 기적을 가져다줄 것이다, 그의 인생에 빛나는 새로운 장을 열 것이다.

"그거 내 거야, 내놔!"

제비는 악을 쓰며 미친 듯이 외쳤다.

"고소 안 하면 돌려 줄게요."

흥부는 제비의 요구를 부드럽게 거절하고 도망치기 시작했다. 저 뒤에서 악에 받친 제비가 그를 쫓아가며 고함을 지르는 소리가 들렸지만 흥부는 그 소리를 무시하고 인터벌 러닝을 지속했다. 물이 샌 봄바람이 피어오르는 산길을 뛰며 목적지도 정하지도 않은 채 어딘가를 향해 무작정 달렸다. 생긋한 여름의 풀내음이 살랑거렸다. 강물이 물든 산들바람이 기분 좋게 흥부의 얼굴을 때렸다. 청명하고 밝은 미래에 대한 기대감으로 가득 찬 흥부의 심장이 미친듯이 뜀박질을 하였다. 길게 뻗은 산과 들판이 마치 흥부에게 새로운 기회의 문을 열어주고 있는 것만 같았다.

붉으락푸르락해진 제비는 절뚝절뚝거리며 마을을 가로질렀다. 피가 거꾸로 솟은 제비는 이내 생각을 바꿔 흥부를 쫓는 것을 그만뒀다. 그는 검찰청으로 달려가 저 도둑놈을 고소할 작정이었다. 제비는 자신의 분노를 담배 연기처럼 토해내며 몸을 비틀어 꺾고는 그가 낼 수 있는 최대한의 빠른 속도로 절뚝절뚝 움직였다. 허나 화병과 알코올 중독으로 인한 합병 증세로, 말 그대로 피가 진짜 거꾸로 솟는 바람에 제비는 그만 흙바닥에 고꾸라지고 말았다. 주변에 있던 마을 사람들이 다가와서 어쩔 줄 몰라 하는 표정을 지었다. 어떤 건장한 백정이 긴급한 응급처치를 시작했다. 그러나 제비의 얼굴에는 이미 고통스러운 표정이 가득했으며, 생기를 잃은 그의 눈에는 무력한 눈빛만이 공허하게 부유하고 있었다. 향년 칠 세였다.

한양의 뒷골목에 자리한 허름하고 낡은 집, 그 속에서 장물아비 찬돌은 평범하고 고요한 하루를 보내고 있었다. 그의 가게는 오랜 시간의 흐름에 따라 햇빛과 비바람으로 옅어져 있었다. 이곳은 마치 평온한 시간이 정지된 듯한 분위기를 물씬 풍기고 있었다. 부산스러운 바깥과 달리 주변은 고요함으로 가득하며, 새하얀 구름이 천천히 떠다니며 공기는 신비롭게 맑았다. 햇살이 지저귀는 소리가 서서히 귀를 간지럽히며, 마치 세계의 모든 소란과 번잡함을 잠시나마 잊게 만들었다. 이곳에서는 세상의 모든 것이 멈추고, 오롯이 고요한 순간만이 흘러가고 있다는 듯한 아늑하고 평화로움만이 남아 있었다. 작은 창 밖으로 새어 나오는 햇살은 찬돌의 잡동사니들을 따뜻하게 비추고 있었다.

작은 거미 한 마리가 찬돌의 가게로 들어왔다. 그 작은 몸집은 손톱 끝 만한 크기지만, 그 안에는 아주 특별한 아름다움이 깃들어 있었다. 거미의 몸은 유리처럼 투명하면서도 은은한 금빛 빛깔이 돌았다. 특이한 무늬와 빛깔은 마치 작은 예술작품 같았고, 그 작은 거미는 모습 자체로도 커다란 신비로움을 품고 있었다. 다리는 가늘고 연한 섬유질로 이뤄져 있었는데, 투명한 부분과 금빛으로 물든 부분이 번갈아 나타나며 유연하게 움직였다. 그 작은 다리는 마치 피아노 건반 위에서 춤추듯 곡선을 그리며 움직였다. 거미는 찬돌의 가게로 들어오자마자 호기심 가득한 시선으로 주변을 둘러보았다. 거미의 시선은 잘게 흩어진 먼지 하나하나까지 섬세하게 포착하고 있었다. 마치 작은 탐험가처럼 그 작은 몸으로 늙은 장물아비의 보금자리를 탐험했다.

"손님이 한 명 찾아오겠군."

거미를 발견한 찬돌은 중얼거렸다. 거미는 조용히 거미줄을 늘리며 자신만의 작은 세계를 펼치고 있었다. 이윽고 생소한 얼굴의 손님이 찾아왔다. 그는 어색함과 호기심이 섞인 눈길로 찬돌을 응시했다.

"무슨 일로 오셨는가, 젊은 친구?"

찬돌이 느릿느릿 입을 열었다.

"안녕하세요. 여기 이 다이아몬드를 팔려고 왔어요."

흥부는 주머니에서 다이아몬드를 꺼내어 찬돌에게 보여주었다. 그 작은 보석은 빛나는 광채로 가득 차 있었다.

찬돌은 다이아몬드를 주의 깊게 살펴보았다.

"어디서 얻었는지 물어봐도 되나?"

"그냥 어디선가 주웠어요. 그래서 팔려고 왔어요. 가격은 어떻게 되나요?"

찬돌은 잠시 생각에 잠겼다.

"이 정도 핑크 다이아몬드는 못해도 상평코인으로 일천 억 냥은 한다네."

놀란 흥부가 입을 다물지 못했다.

"이렇게 비싸고 아름다운 걸 멀쩡한 보석상한테 들고 가지 않고 나한테 왔다는 것은 떳떳하지 못한 방법으로 구했다는 거겠지."

찬돌이 흥부의 두 눈을 똑바로 쳐다보며 말했다.

"맞습니다."

흥부가 자신 없는 목소리로 작게 중얼거렸다.

"더도 말고 덜도 말고, 공정하게 오백 억 냥. 그 이상으로는 나도 못 사준다네."

찬돌이 온화한 목소리로 거절할 수 없는 제안을 하였다.

"그 정도 가격만 쳐주셔도 아주 감사하죠. 여기, 제 계좌를 알려
드릴게요."

흥부가 스마터폰을 키고는 자신의 한양은행 모바일뱅킹 어플을
찬돌에게 가까이 보여줬다. 찬돌이 흥부의 계좌번호를 보고는 박
앤박페이로 상평코인 오백 억 냥을 보냈다.

"고맙습니다. 새해 복 많이 받으시고 즐거운 한가위 보내시고
메리 크리스마스 되세요."

흥부가 찬돌에게 다이아몬드를 건네며 진심에서 우러나오는 감
사의 인사가 담긴 그랜절을 했다.

장물아비에게 다이아몬드를 팔아서 대성한 흥부는 후쿠오카로 여행을 갔다. 그곳에서 선녀와 같이 예쁘고 마음씨도 곱고 민트초코를 좋아하는 일본인 여자를 만나 사랑에 빠졌다. 흥부는 후쿠오카에 정착해 그녀와 함께 오랫동안 행복하게 살았다.

제2화 선녀와 나무꾼

옛날 어느 날, 숲 속에서 나무를 베던 나무꾼이 있었다. 그의 손에는 날카로운 도끼가 빛나고 있었다. 그가 도끼로 나무를 찍을 때마다 숲의 정적을 깨트리는 울림이 일어났다.

갑자기 숲의 푸른 그림자 속에서 고라니 한 마리가 빠르게 튀어나오는 것을 발견했다. 고라니는 다가올 때마다 허둥지둥하며 땅바닥에 넘어지고, 나무꾼에게 다가가자 무릎을 꿇고 애걸했다.

"아이고, 선생님! 제발 살려 주십쇼, 예?"

고라니는 절절한 목소리로 호소했다.

"으악, 해로운 동물이다!"

나무꾼은 고라니를 향해 도끼를 휘둘렀다. 고라니는 비명을 지르며 쓰러졌다. 이윽고, 사냥꾼으로 보이는 한 사람이 나무꾼이 있는 곳으로 달려와 숨을 헐떡이며 멈춰 섰다. 그의 키는 중간 정도로 보였지만, 단단한 근육이 튀어나와 숲 속에 둘러싸인 그의 형상을 더욱 강인하게 보였다. 거뭇거뭇한 빛깔의 그의 얼굴에 나무 사이를 뚫고 들어온 햇빛이 반사되어 반짝였다.

나무와 가시들을 손으로 걷어내면서 걸어온 사냥꾼은 흙과 잎사귀로 얼룩진 헝겊 소매와 바지를 입고 있었다. 옷은 더러워진 흔적들로 가득했다. 한 손에는 낡은 샷건을 편안하게 들고 있었고, 총열은 여러 차례의 전투를 거치며 눌린 흔적이 새겨져 있었다. 총구에서는 차가운 냄새가 풍겨져 나와, 그 주변의 대기를 떠받치고 있는 듯한 느낌을 줬다. 두툼한 가죽 소매에는 작은 물고기 비늘과 작은 동물의 모피가 꼬리처럼 달려 있었고, 어깨에 걸린 가방은 허리띠에 달린 칼과 함께 여러 가지 도구와 소지품들로 가득 차 있었다. 작은 동물의 꼬리와 깃털이 어깨를 장식하며 그가 무슨 일을 하는 사람인지 짐작케 했다.

사냥꾼의 시선이 주변을 훑으며 나무꾼에게 다가갔다. 흔들리지 않는 표정이 그의 강인함을 자아냈다.

"선생님께서 그 고라니를 잡으신 겁니까?"

사냥꾼이 나무꾼에게 물었다.

"예."

나무꾼은 머리를 끄덕이며 대답했다.

"선생님의 노고에 감사드립니다. 그 고라니는 CSI(Chosun Security Interpol)에서 수배 중이었던 악질 고라니였습니다."

"그럼 현상금도 제 겁니까?"

나무꾼이 물었다.

"그렇습니다. 하지만 아무래도 저도 이 아이를 잡기 위해 길고 오랜 시간 고생했으니 나눠 주실 수 있을까요?"

사냥꾼은 자신이 들고 있는 샷건을 만지작거리며 말했다.

"맨 입으로는 힘들 것 같은데요."

나무꾼이 자신의 도끼를 던질 준비를 할 자세를 하며 말했다.

"그럼 제가 고급 정보 하나를 알려드리겠습니다. 6:4, 제가 6을 받고 선생님께서 4를 받으시는 대신 정보를 같이 알려드리죠."

"돈이 되는 정보입니까?" 나무꾼은 궁금한 표정으로 물었다.

"선생님의 성향에 따라 다르겠지만, 돈보다 더 좋은 정보일 수도 있습니다. 혹시 MBTI가…?"

"ESTJ입니다만."

"그러시군요. 아무튼 정보를 알려드리겠습니다. 근처에 큰 샘이 하나 있는 거 아십니까? 13일의 금요일만 되면 그날 밤마다 하늘에서 선녀들이 내려와 목욕을 합니다."

"돈이 안 되는 정보인 것 같네요."

"더 들어보십시오. 선녀들은 목욕을 할 때 날개옷을 근처 나무 밑에 벗어 놔둡니다. 그러니 선녀들이 물장난을 하느라 정신이 팔려 있는 사이에 선녀옷을 하나만 훔치세요. 다른 선녀들의 옷까지 모두 훔치면, 그들이 눈치 챌 겁니다. 그러면 선계에서 눈에 불을 밝히고 당신을 찾으려 들겠죠. 돈 꽤나 있는 양반들한테 선녀옷을 팔면 부르는 게 값입니다."

"당신 정말 좋은 사람이군요."

나무꾼이 조곤조곤 화답했다.

그렇게 나무꾼과 사냥꾼은 6:4로 합의를 보고 고라니의 현상금
을 나눠 가졌다. 나무꾼은 나눠 가진 현상금을 자신의 후드의 삶
에 보탰고, 사냥꾼은 수배 중이던 고라니를 CSI에 무사히 인도하
였다.

13일의 금요일, 어둠이 깊어지는 숲 속에서 나무꾼은 선녀들이 하늘에서 내려와 목욕을 하는 장면을 발견했다. 그들은 아름다운 날개옷을 벗고는 맑은 물에 백옥 같은 몸을 씻으며 즐겁게 물장구를 치고 있었다. 나무꾼은 이 신비롭고 특별한 광경을 목격하면서 숲 속의 비밀을 발견한 듯한 기분이 들었다. 이 순간을 놓치지 않기로 결심한 나무꾼은 숨어서 선녀들이 놓아둔 날개옷 중 하나를 조용히 훔쳤다. 나무꾼은 그 날개옷을 들고는 음흉한 미소를 지으며 자리를 떠났다.

다음 날 이른 새벽, 나무꾼은 한양으로 갔다. 한양에 당도한 나무꾼은 제자리에 멈춰 거리를 응시했다. 길은 자그마한 동네에서부터 시작되어 시가지로 이어지는데, 구불구불한 길목에서는 다채로운 모습들이 돋보였다. 밝은 아침의 햇살이 거리를 가로지르며 건물들의 그림자를 만들어내고 있었다. 시끌벅적한 상점들이 이미 문을 열고 손님들을 맞이하고 있었다. 어떤 가게에서는 다양한 향초와 향수의 향이 섞여 퍼져 나오고 있었는데, 거리 전체에 신비롭고 아름다운 분위기를 불어넣었다. 가게 주인들은 꾸민 진열장 앞에서 물건들을 정리하고 있었고, 길가에는 각종 장난감과 소소한 소품들이 가판대에 진열되어 있었다. 많은 사람들이 이 거리를 지나고 있었다. 어머니들은 장을 보러 나가고, 어린이들은 학당으로 향하는 모습이 보였다. 거리의 가게들은 각자 독특한 매력으로 손님들을 유혹하고 있었다. 한양은 다양한 양식과 디자인으로 이루어져 있었다. 고즈넉한 한옥에서부터 현대적이고 다채로운 외관의 건물까지, 다양한 모습이 공존하고 있었다. 거리를 따라 걸으면서 시대의 흐름을 엿볼 수 있었다.

나른한 아침의 한양을 걸으며 나무꾼은 이 아름답고 매력 있는 도시의 풍경을 잔잔히 감상했다. 걸음을 계속 하던 그의 발은 이윽고 고즈넉하고 아름다우면서도 으리으리한 기와집 앞에서 멈췄다.

기와집은 총명한 눈빛의 문지기가 지키고 있었다. 문지기의 두 눈은 경계와 호의를 동시에 전하는 눈빛으로, 입장하려는 이들에게 안심함을 주기도 하고, 동시에 엄격함을 강조하기도 했다. 얼굴 전체는 지혜로움으로 가득 차 있었다. 그는 화려함보다는 깔끔하고 세련된 느낌을 주는 검은 양복을 입고 있었다. 문지기의 옷차림은 고요한 대궐의 분위기와 잘 어울렸다. 문지기는 자신의 역할을 엄중하게 인식하고 있었으며, 그를 고용한 분과의 대면을 희망하는 손님들을 신중하게 맞이하기 위해 항상 경계를 기울이고 있었다. 그의 눈이 나무꾼과 마주쳤다.

"무슨 일로 오셨습니까?"

문지기가 딱딱하면서도 부드러운 말투로 물었다.

"놀부 어르신을 뵙고 싶어서 왔습니다."

나무꾼은 최대한 정중하게 대답했다.

"죄송하지만 우리 대감은 아무나 뵐 수 없는 분이십니다. 더 자세한 사유를 말씀해 주시겠어요?"

문지기도 정중하게 되물었다.

"제가 선녀의 날개옷을 한 벌 팔고 싶어서요."

나무꾼이 조심스럽게 날개옷을 꺼내 보이며 말했다.

"들어가 보세요. 소란은 피우시면 안 됩니다."

햇살에 비쳐 더 영롱하게 빛깔을 내는 그 아름다운 비단을 훑어본 문지기가 고개를 끄덕이며 입장을 허락했다.

놀부의 대궐은 마치 무릉에서 나오는 듯한 아름다움으로 가득한 곳이었다. 대궐은 화려한 기와로 덮여 있었고, 장대하게 솟아올라간 지붕은 하늘과 금방이라도 맞닿을 것만 같았다. 금박으로 장식된 문은 놀부의 손님을 맞이하고 있었다. 빛나는 대리석 바닥과 화려한 조명과 황홀한 향기가 나무꾼의 눈에 들어왔다. 대리석 바닥을 따라 걸어가면 정교하고 섬세한 장식과 문양이 수 놓인 문들이 나타나고, 그 뒤로는 화려한 정원이 펼쳐져 있었다. 정원은 다채로운 꽃과 나무로 가득 차 있었으며 그 공간을 더욱 따뜻하고 향긋하게 가꾸고 있었다. 정원 중앙에는 작은 연못이 위치하고 있었다. 연못은 맑고 투명한 물로 가득 차 있었으며, 고운 물결이 햇살을 받아 물 위에서 춤추듯이 움직이고 있었다. 연못 주변에는 돌로 만든 작은 다리가 놓여 있었다. 연못의 깊숙한 곳에서는 화려한 수중 생물들이 자유롭게 헤엄치며, 물 속에서만 느낄 수 있는 행복한 삶을 만끽하고 있었다. 정원은 고요함과 화려함의 조화를 이루며 이 거대한 기와집을 둘러싼 자연의 아름다움을 품고 있었다. 나무의 그림자가 연못에 미끄러져 흔들리며, 어떤 곳에선 새들의 노래가 울려 퍼져 나가고 있었다. 이 모든 것이 서로를 더욱 풍요롭게 만들어주고 있었다. 녹음이 우거진 이 푸른 무릉은 놀부가 갖고 있는 부의 상징이자 손님들에게 제공하는 평화로운 휴식처이리라.

사랑방에 들어선 나무꾼은 고요한 홀 안에서 천장으로 뻗어나가는 화려한 장식물들에 입이 벌어져 감탄을 자아냈다. 그 중앙에 자리한 놀부는 금은박으로 장식된 자리에 편안하게 앉아 있었다. 햇살은 거대한 창문을 통해 들어와 놀부의 화려한 옷을 적시고 있었다. 눈에 띄게 풍족한 수염과 강렬한 눈빛의 놀부는 마치 임금과도 같은 모습이었다.

"안녕하세요. 선녀의 날개옷을 팔고 싶어서 대감 어른을 뵙게 되었습니다."

나무꾼이 큰 절을 올리며 놀부에게 날개옷을 보여줬다. 놀부가 날개옷을 어루만졌다.

"이 정도면 팔천 만 미국 달러의 가치가 있겠군요. 그 어떤 것과도 바꿀 수 없는 특별한 걸작이죠."

놀부가 황홀함에 젖은 감탄을 하며 화답했다.

"팔천 만 미국 달러? 정말 비싸네요."

나무꾼은 놀부가 부른 가격에 놀라움을 감추지 못하며 말했다.

"내 이것을 사겠습니다. 안 그래도 우리 큰 딸이 곧 시집을 가는데 잘 됐군요.

놀부가 인자한 미소를 지으며 스마터폰을 키고 박앤박페이를 실행했다.

나무꾼은 한 푼도 없는 자신이 이렇게 큰 돈을 손에 넣게 될 줄은 상상조차 못했다. 후드의 삶을 벗어난 나무꾼은 더 이상 나무를 베지 않았다. 나무꾼은 매 순간의 축복을 느끼며 삶을 즐기기 시작했다. 나무를 베던 일상에서 벗어난, 한양에서의 편안한 생활은 나무꾼에게 새로운 가능성과 자유로움을 선사했다. 나무꾼은 한강뷰의 최고급 펜트하우스를 구매하고, 람부릉부릉과 페가마리, 팬텀오션로이즈도 차고에 들였다. 더 나아가 컴퓨터도 4차 산업혁명의 정수가 담긴, 최신 기술을 갖춘, 상평코인 500만 냥 견적의 초고사양 게이밍 컴퓨터로 바꿨다.

어느 날, 갓파더를 잔뜩 마시고 기분 좋게 취한 나무꾼은 산책을 나섰다. 알코올에 절인 마음이 발걸음을 상쾌하고 가볍게 했다. 나무꾼은 어느덧 자신도 모르게 숲 속으로 들어갔다. 어둠 속에서 비틀거리며 걷던 그는 갑자기 세상이 무너진 듯이 흐느끼는 어떤 여인의 소리를 들었다.

나무꾼은 그 소리를 따라 천천히 걸었다. 이윽고 그는 나무 아래에 앉아 울고 있는 여자를 발견했다. 부잣집 여식의 복장을 하고 있었던 그 여자 눈에는 슬픔과 고통이 깊게 묻어 있었다. 그녀는 신비로움과 순수함이 어우러진 분위기를 자아내고 있었다. 그녀의 얼굴은 마치 달빛을 담은 유리같이 맑고 반짝이며, 새벽 햇살을 받아온 듯한 피부는 유화 같은 부드러움으로 감싸져 있었다. 눈동자는 깊은 청록색의 에메랄드를 담은 검은 보석으로 투명하게 빛나며, 마치 작은 호수에 담긴 하늘을 들여다보는 듯한 신비로운 느낌을 자아냈다. 달빛을 머금은 그 새침한 입술은 붉은 장미 꽃잎처럼 생기 있게 빛나며, 울고 있는 그 입술은 눈물 젖은 아름다움으로 반짝이고 있었다. 그녀의 어깨는 우아하게 펼쳐져 있었고 아름다운 곡선이 미묘하게 드러나 보였다. 그녀의 키는 적당하게 아담했고, 유연하면서도 여유로움이 돋보였다. 마치 숲의 정령으로부터 받은 자연의 가호와 조화로움이 그녀를 둘러싼 것처럼 느껴졌다. 긴 생머리는 여인의 아름다움을 더욱 돋보이게 했다. 머릿결은 마치 얇은 비단 같이 부드럽게 흐르고 있으며, 감미로운 향기가 공중을 가득 채우고 있었다. 끝부분은 소용돌이치듯 자연스럽게 물결을 이루면서, 머리카락 하나하나가 마치 토파즈로 세공된 듯한 광채를 띠었다. 그 부드러운 머리카락은 어깨를 가볍게 감싸며 흘러내리고 있는데, 바람에 흔들리면서 마치 달빛을 머금은 이불을 펼친 듯한 아름다운 모습을 보여주었다. 나무꾼의 눈앞에 펼쳐진 이 여인은 마치 자연 그 자체의 예술작품이었다. 마치 별빛들이 그녀의 머리 위에 세레나데를 추고 있는 듯한 착각을 일으켰다.

그녀가 우는 모습은 아름다운 아련함과 아픔이 공존하는 풍경이었다. 그녀의 감정이 녹아 있는 눈물은 마치 우주의 모든 비밀을 품은 것처럼 심오하게 보였다. 나무꾼은 여인의 미모에 놀라움을 금치 못하며, 마치 꿈에서 깨어난 듯 신비로운 세계에 빠져들었다.

나무꾼은 여자에게 다가가자, 그녀는 놀란 듯한 눈으로 나무꾼을 쳐다보았다.

"여기서 무얼 하고 계시는 겁니까? 예?"

술에 절어 반쯤 정신나간 나무꾼이 의아해하며 물었다.

"저는 하늘에서 내려온 선녀인데 어떤 쓰레기가 제 날개옷을 도둑질해가는 바람에 미처 이 주일 동안 하늘로 다시 올라가지 못하고 있습니다."

선녀가 한에 가득 찬 목소리로 말했다. 그녀는 달빛이 담긴 눈물을 뚝뚝 떨어뜨리며 울음을 멈추지 못했다.

"어쩌면 제가 찾아드릴 수 있을지도 모를 것 같습니다."

나무꾼의 말에 선녀가 울음을 뚝 그치고 나무꾼을 올려다봤다.

"제 날개옷이 어디 있는지 아십니까?"

"확신하지는 못하지만 최근 어떤 양반이 조선 팔도에서는 찾아볼 수 없는 최고급 의류를 손에 넣었다는 이야기를 들었습니다."

"제발 부탁드립니다. 사례는 얼마든지 하겠습니다."

나무꾼은 선녀를 다독여주고 자신의 펜트하우스로 데려왔다.

"오늘은 여기서 편히 쉬십시오. 선계만 못하겠지만 그래도 아늑하실 겁니다. 도둑놈은 내일 찾으러 갑시다. 욕실은 저기 있고, 나오시기 전에 문 앞에 입으실 만한 옷가지들을 놓아드리죠."

그러고는 나무꾼은 평소 자취를 하던 시절의 요리 실력을 뽐내

러 주방에 갔다.

"네, 호의에 감사드립니다."

며칠 동안 씻지 못했다가 따뜻한 물로 너무나도 만족스럽게 샤워를 한 다음 조심스럽게 문을 조금 연 선녀는 욕실 앞에 나무꾼이 가져다 놓은 헐렁하고 목 늘어난 티셔츠와 널널한 반바지와 트렁크를 보았다. 선녀는 그것들을 가지런히 주워 깔롱 있게 차려입었다.

선녀가 욕실 밖을 나온 순간, 그녀의 맑은 두 눈이 반짝였다. 이 특별한 공간은 각종 멋진 편의시설과 고급 가구들로 장식되어 있었다. 거실에는 고급 가죽 소파와 유리 테이블이 놓여 있었고, 벽면을 가득 메운 책장에는 다양한 예술품들이 전시되어 있었다. 높은 천장에는 화려한 크리스털 샹들리에가 빛을 발하고 있었으며, 바닥은 고급 목재로 마감되어 부드러운 감촉을 선사했다. 주방은 깔끔하게 정돈되어 있었고, 최신형 조리기구와 고급 식기들이 배치되어 있었다.

거실로 나온 선녀는 커다란 창밖 풍경을 바라보았다. 투명한 유리창 너머로 펼쳐진 도시의 불빛과 강가에서 떠오르는 달빛은 그녀에게 평온한 감정을 안겨주었다. 선녀는 갑자기 고향에서의 기억들이 떠오르기 시작했다. 그녀는 빛나는 꽃들과 함께 평화롭게 지내곤 했다. 그곳은 시원하고 따뜻하고 고요한 공간으로, 청명한 하늘과 신비로운 나무들이 그림 같은 풍경을 만들어냈으며, 살아 있는 에너지와 따뜻한 빛으로 가득한 공간이었다. 그곳에서는 시간의 흐름이 다르게 느껴지며, 그녀는 자유롭게 거닐며 선계의 아름다움을 즐겼다. 한 여름날, 선녀는 자매들과 함께 복사꽃이 피어난 광활한 평원을 돌아다녔다. 알록달록한 꽃잎들이 흩날리는 바람에 춤추며, 그들은 서로의 손을 잡고 자유롭게 뛰어놀았다. 햇살은 선계를 환하게 비추어 행복스러운 미소가 빛났다. 그들은 언제나 서로를 이해하고 지지해주었다. 함께하는 시간은 선녀에게 큰 힘이 되어주었고, 자매들은 항상 서로를 응원했다. 그들은 마치 다양한 색깔의 꽃들이 하나로 어우러져 이루어진 아름다운 정원처럼 조화를 이루는 가족과도 같았다. 선녀는 자매들과 함께 나무그늘에 앉아 이야기를 나누기도 했다. 서로의 꿈과 이야기를 나누며, 추억을 함께 공유했다. 그 순간들은 언제나 따뜻하고 풍요로웠다. 선녀는 자매들의 웃음소리와 함께 지난 선계에서의 일상을 생각하며 행복한 미소를 띠었다.

"정말 멋진 집이에요. 여기서 살다 보면 행복할 것 같아요."

선녀가 말했다.

"시장하시죠? 차린 게 별로 없지만 많이 드세요."

나무꾼은 달빛이 가득한 창가에 앉은 선녀에게 무뚝뚝한 표정으로 말했다.

식탁에는 풍성한 요리들이 놓여 향긋한 냄새를 풍기고 있었다. 야끼우동에는 반숙으로 조리된 계란후라이 두 장과 참치마요가 곁들여져 있었다. 그리고 오므라이스, 크림푸실리파스타, 돈까스김치나베, 콩나물무침, 블루베리 그릭요거트가 먹음직스럽고 알록달록한 색상과 풍미로 식탁을 가득하게 차지했다.

선녀는 기대감 가득한 눈빛으로 나무꾼이 차린 진수성찬을 바라보며 수저를 집어들었다. 그녀는 며칠 동간 굶은 허기짐에 허겁지겁 음식을 집어먹기 시작했다. 젓가락으로 야끼우동을 집어 들어 입속에 넣었다. 입안에 퍼지는 고소한 양념과 쫄깃한 면이 선녀의 혀끝을 감싸고 있었다.

"와, 정말 맛있어요!"

그녀는 한 입 더 먹고는 다시 한 번 음미하며 눈을 반짝였다.

"별거 아니에요. 좀 더 드세요."

나무꾼이 오므라이스를 선녀에게 내밀었다. 가공육과 당근, 그리고 양파, 데리야끼 소스로 젖은 오믈렛의 조화로운 냄새가 물씬 풍겼다. 선녀가 조심스럽게 한 숟가락을 입에 넣자, 계란이불의 부드러움과 양파의 단맛, 그리고 감칠맛 나는 가공육의 풍미가 파도처럼 입 안에 밀려 들어왔다.

"이건 정말 최고네요!"

선녀가 입을 다물지 못했다.

나무꾼은 여전히 웃음기 없는 얼굴로 크림푸실리파스타를 선녀의 접시에 덜어주었다. 쫄깃한 푸실리에 따끈하고 꾸덕하면서 부드러운 크림소스가 버무려져 있었다.

"와, 이건 정말 신기한 맛이에요! 처음 먹어보는데 정말 맛있어요!"

선녀는 이 특별한 마늘과 체다치즈, 그리고 버터의 향내음이 진하게 나는 진미에 입맛을 다시 한 번 다셨다.

계속해서 나무꾼은 선녀에게 돈까스김치나베를 소개했다. 뜨거운 국물이 매콤한 향기를 풍기며 그릇에 담겨 나왔다. 선녀가 맛있고 뜨끈하게 눅눅해진 돈까스를 조그마한 조각으로 잘라내어 입에 넣었다.

"이거 정말 맛있어요! 특히 국물이 예술이네요!"

바삭한 튀김과 감칠맛 나는 국물이 그녀의 온몸에 따뜻한 기운이 돌게 해주었다.

이어서 그녀는 콩나물무침의 신선하고 고소한 맛과 블루베리 그릭요거트의 새콤달콤한 맛에 감탄했다. 선녀는 음식이 입으로 들어갈 때마다 그 안에서 펼쳐지는 다양한 맛의 놀라움과 즐거움을 표현했다.

굶주린 배를 맛나게 채우면서 선녀의 얼굴에는 만족스러운 미소가 번져갔다. 마침내 디저트로 나온 아포가토까지 다 즐겁게 해치운 선녀는 깊게 한숨을 내쉬었다.

"진짜 맛있었어요. 정말 감사합니다!"

그녀는 나무꾼에게 고개를 숙이며 감사의 뜻을 전했다.

"맛있게 드셔서 다행이네요."

나무꾼이 조용히 화답했다. 그의 눈에도 즐거운 감정이 조금은 내비치는 것만 같았다. 이 고요하고 아름다운 펜트하우스에서 그들 모두 난생 처음 각자만의 특별한 밤을 보내며 즐거운 시간을 보냈다.

다음 날 아침, 나무꾼은 선녀를 팬텀오션로이즈에 태우고 검찰청에 갔다. 그리고 놀부를 날개옷 절도죄로 고소했다. 놀부는 억울하다고 주장했다. 그러나 이미 나무꾼이 변호사, 판사, 검사 모두 매수했기 때문에 놀부는 전재산을 몰수당하고 다섯 시간 동안 감자칩 먹기 형을 선고받았다. 그렇게 선녀는 날개옷을 되찾았다.

"제 옷을 되찾아 주셔서 진심으로 감사드립니다."

"예, 다행입니다."

"선계에 가자마자 사례를 들고 다시 내려오겠습니다."

"안 그래 주셔도 됩니다. 얼른 집에나 가시죠."

"아닙니다, 제 부디 꼭 다시 오겠습니다."

다음 날 밤, 선녀는 치즈스노잉치킨 매운맛 쿠폰 일만 장을 보석함에 담아 가지고 내려왔다.

"이거면 평생 치즈스노잉치킨을 무료로 잡수실 수 있어요."

선녀가 생글생글 웃으며 고사리 같은 손으로 나무꾼에게 그 작은 보석함을 건넸다.

"감사합니다. 선녀님 덕분에 그 누구 하나 부러울 것이 없는 인생을 살 수 있게 됐군요."

나무꾼이 보석함을 열어보며 말했다.

"아닙니다. 그런데, 제 부탁 하나만 더 들어주실 수 있겠습니까?"

선녀가 조금은 수줍은 듯이 땅을 쳐다보며 말을 했다.

"예, 말씀하세요."

나무꾼이 선녀의 얼굴을 빤히 쳐다보며 덤덤히 대답했다.

"제가 사는 하늘나라보다 당신의 집이 더 좋습니다. 초고사양 컴퓨터로 최신 게임들도 마음껏 즐길 수 있고요. 괜찮으시다면 여기서 함께 치즈스노잉치킨이나 뜯으면서 같이 살고 싶습니다."

얼굴을 조금 붉힌 선녀는 날개옷을 만지작거리며 자신의 요구 사항을 당당하게 밝혔다.

"예, 그러세요."

그렇게 선녀와 나무꾼은 펜트하우스에서 오랫동안 함께 행복하게 살았다.

이야기 마침.